Die Zehnerreihe

A. Weißt du die Antworten?

6 · 10 = ______

das Doppelte von 10 = ______

10 · 10 = ______

70 + 10 = ______

100 – 10 = ______

6 · 10 + 10 = ______

100 : 10 = ______

die Hälfte von 100 = ______

10 + 10 + 10 + 10 = ______

das Dreifache von 10 = ______

B. Trage die Ergebnisse in diese Steine ein.
Beginne links mit der kleinsten Zahl.

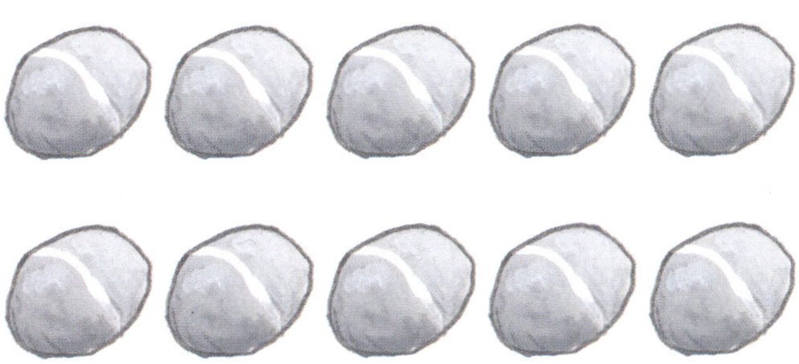

Zahlen, die mit 10 multipliziert werden, haben im Ergebnis eine Null auf der Einerstelle.

Lösung

A. 6 · 10 = 60
das Doppelte von 10 = 20
10 · 10 = 100
70 + 10 = 80
6 · 10 + 10 = 70
100 – 10 = 90
die Hälfte von 100 = 50
100 : 10 = 10
10 + 10 + 10 + 10 = 40
das Dreifache von 10 = 30

B. 10, 20, 30, 40, 50, 60, 70, 80, 90, 100
(Das sind die Zahlen der 10er-Reihe).

Zahlensuche

A. Welche Zahl fehlt?

☐ · 10 = 40	☐ : 10 = 8
☐ · 5 = 40	☐ : 5 = 10
☐ · 5 = 35	☐ : 10 = 1

B. Suche auch hier die richtige Zahl.

3 · ☐ = 15	40 : ☐ = 8
8 · ☐ = 80	45 : ☐ = 5
9 · ☐ = 45	70 : ☐ = 7

Mach aus den Zahlen Tausch- oder Umkehraufgaben. Sie können dich zur richtigen Lösung führen.

Lösung

A. (von oben nach unten):
4, 8, 7
80, 50, 10

B. (von oben nach unten):
5, 10, 5
5, 9, 10

Zahlensuche

A. Das kannst du bestimmt!

60 = ☐ · 10 3 = 15 : ☐

45 = ☐ · 5 7 = 70 : ☐

30 = ☐ · 5 7 = 35 : ☐

B. Hier fehlen immer zwei Zahlen. Welche?

31 = ☐ · 10 + ☐ ☐ · 10 + ☐ = 41

28 = ☐ · 10 + ☐ ☐ · 10 + ☐ = 93

55 = ☐ · 10 + ☐ ☐ · 10 + ☐ = 12

Lösung

A. (von oben nach unten):
6, 9, 6
5, 10, 5

B.

$3 \cdot 10 + 1$	$4 \cdot 10 + 1$
$2 \cdot 10 + 8$	$9 \cdot 10 + 3$
$5 \cdot 10 + 5$	$1 \cdot 10 + 2$

Multiplikation mit Vielfachen von 10

Multipliziere. Denke immer an eine passende kleine Einmaleinsaufgabe und schreibe sie auf.

Beispiel: 3 · 40 Denke an 3 · 4 = 12 3 · 40 = 120

a. 5 · 60 = ____
____

b. 7 · 30 = ____
____

c. 8 · 60 = ____
____

d. 2 · 90 = ____
____

e. 4 · 80 = ____
____

f. 5 · 50 = ____
____

g. 3 · 90 = ____
____

h. 5 · 80 = ____
____

i. 9 · 40 = ____
____

k. 4 · 60 = ____
____

l. 2 · 70 = ____
____

m. 7 · 50 = ____
____

Merke dir: multiplizieren bedeutet malnehmen.

Lösung

a. $5 \cdot 60 = 300$; $5 \cdot 6 = 30$

b. $7 \cdot 30 = 210$; $7 \cdot 3 = 21$

c. $8 \cdot 60 = 480$; $8 \cdot 6 = 48$

d. $2 \cdot 90 = 180$; $2 \cdot 9 = 18$

e. $4 \cdot 80 = 320$; $4 \cdot 8 = 32$

f. $5 \cdot 50 = 250$; $5 \cdot 5 = 25$

g. $3 \cdot 90 = 270$; $3 \cdot 9 = 27$

h. $5 \cdot 80 = 400$; $5 \cdot 8 = 40$

i. $9 \cdot 40 = 360$; $9 \cdot 4 = 36$

j. $4 \cdot 60 = 240$; $4 \cdot 6 = 24$

k. $2 \cdot 70 = 140$; $2 \cdot 7 = 14$

l. $7 \cdot 50 = 350$; $7 \cdot 5 = 35$

Division als Umkehroperation zur Multiplikation

Die Umkehraufgabe zu einer Multiplikationsaufgabe ist eine Divisionsaufgabe. In der linken Blume findest du Malaufgaben. In der rechten sind die dazu gehörenden Umkehraufgaben versteckt. Löse die Aufgaben und male die zusammen gehörenden Blütenblätter jeweils mit der gleichen Farbe aus.

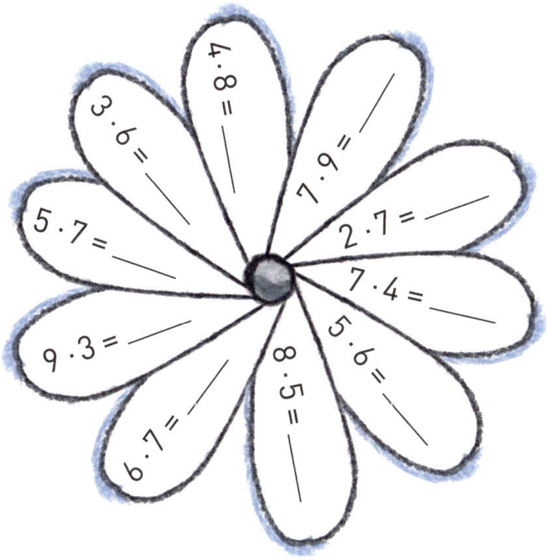

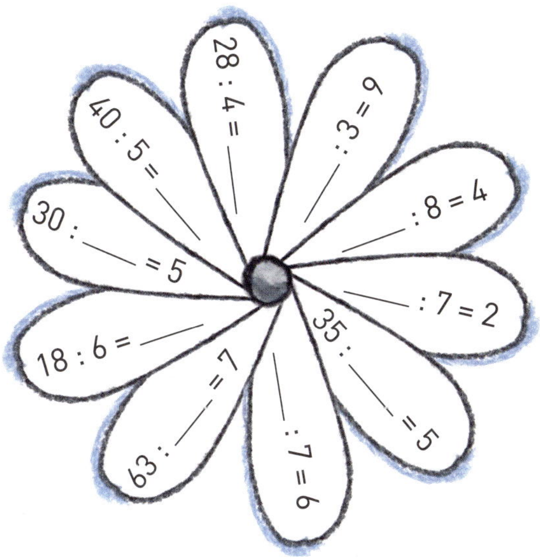

Merke dir den Begriff:
Division = Geteiltaufgabe

Lösung

4 · 8 = 32
7 · 9 = 63
2 · 7 = 14
7 · 4 = 28
5 · 6 = 30
8 · 5 = 40
6 · 7 = 42
9 · 3 = 27
5 · 7 = 35
3 · 6 = 18

27 : 3 = 9
32 : 8 = 4
14 : 7 = 2
35 : 7 = 5
42 : 7 = 6
63 : 9 = 7
18 : 6 = 3
30 : 6 = 5
40 : 5 = 8
28 : 4 = 7

Multiplikation

Jeweils zwei Malaufgaben haben das gleiche Ergebnis.
Verbinde sie!

4 · 10 = ______

8 · 2 = ______

8 · 5 = ______

3 · 4 = ______

6 · 2 = ______

6 · 6 = ______

5 · 6 = ______

4 · 4 = ______

8 · 3 = ______

3 · 6 = ______

5 · 4 = ______

9 · 2 = ______

6 · 4 = ______

10 · 3 = ______

2 · 10 = ______

4 · 9 = ______

Lösung

$3 \cdot 4 = 12$	$6 \cdot 2 = 12$
$4 \cdot 10 = 40$	$8 \cdot 5 = 40$
$8 \cdot 2 = 16$	$4 \cdot 4 = 16$
$4 \cdot 9 = 36$	$6 \cdot 6 = 36$
$5 \cdot 6 = 30$	$10 \cdot 3 = 30$
$5 \cdot 4 = 20$	$2 \cdot 10 = 20$
$6 \cdot 4 = 24$	$8 \cdot 3 = 24$
$3 \cdot 6 = 18$	$9 \cdot 2 = 18$

Division

Welche Perle gehört in welche Muschel? Die Zahl in der Perle muss ohne Rest durch die Zahl in der Muschel teilbar sein. Ordne zu und schreibe die Rechnungen unter die richtigen Muscheln.

Achtung! Ein paar Perlen passen zu mehreren Muscheln. Schreibe alle möglichen Aufgaben auf!

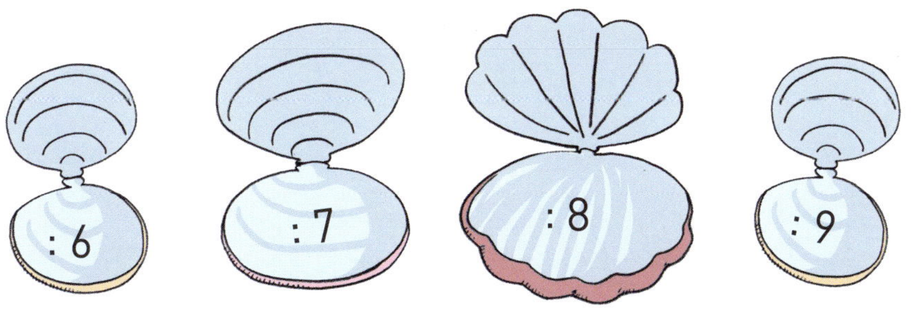

Lösung

: 6	: 7	: 8	: 9
42 : 6 = 7	56 : 7 = 8	32 : 8 = 4	81 : 9 = 9
24 : 6 = 4	28 : 7 = 4	56 : 8 = 7	27 : 9 = 3
30 : 6 = 5	42 : 7 = 6	24 : 8 = 3	36 : 9 = 4
36 : 6 = 6	49 : 7 = 7	64 : 8 = 8	18 : 9 = 2
18 : 6 = 3	35 : 7 = 5	72 : 8 = 9	72 : 9 = 8
48 : 6 = 8	63 : 7 = 9	48 : 8 = 6	63 : 9 = 7

Division als Umkehroperation zur Multiplikation

Die Umkehraufgabe zu einer Multiplikationsaufgabe ist eine Divisionsaufgabe. Finde die Umkehraufgaben.

A. 4 · 8 = ______

______ : 8 = 4

B. 9 · 3 = ______

____

C. 2 · 7 = ______

____

D. 5 · 6 = ______

____

Merke dir den Begriff:
Division = Geteiltaufgabe

Lösung

A. $4 \cdot 8 = 32$; $32 : 8 = 4$

B. $9 \cdot 3 = 27$; $27 : 3 = 9$

C. $2 \cdot 7 = 14$; $14 : 7 = 2$

D. $5 \cdot 6 = 30$; $30 : 6 = 5$

Division

Bei einem Händler sollen Autoreifen in unterschiedliche Lager sortiert werden. Alle Reifen mit einer Divisionsaufgabe ohne Rest kommen in Schuppen A. Alle Reifen mit einer Divisionsaufgabe mit Rest werden in Schuppen B gelagert. Welcher Reifen muss in welchen Schuppen? Rechne und verbinde den Reifen mit der entsprechenden Tür.

Lösung

Schuppen A:

18 : 9 = 2	49 : 7 = 7	81 : 9 = 9
48 : 6 = 8	36 : 4 = 9	16 : 4 = 4
21 : 7 = 3	64 : 8 = 8	56 : 8 = 7

Schuppen B:

29 : 5 = 5 R 4	57 : 6 = 9 R 3	37 : 7 = 5 R 2
26 : 3 = 8 R 2	42 : 8 = 5 R 2	29 : 4 = 7 R 1

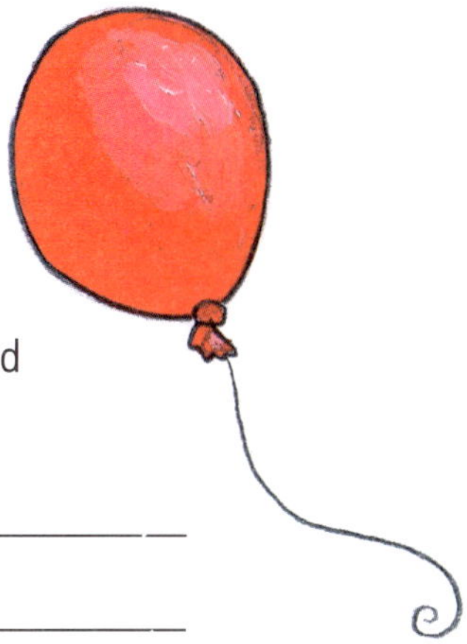

Auf dem Jahrmarkt

A. Eine kleine Bahn, die um den Jahrmarkt fährt, hat 4 Anhänger. In jedem sitzen 10 Kinder. Jedes fünfte Kind hält einen Luftballon in der Hand.

Frage: ____

____

Rechnung: ____

____

Antwort: ____

____

B. Tante Ulla hat für Nele und Leo Lose gekauft. Jedes Kind hat 5-mal gewonnen, wobei jedes dritte Los ein Treffer war.

Frage: ____

____

Rechnung: ____

____

Antwort: ____

____

Lösung

A. Frage: Wie viele Kinder halten einen Luftballon in der Hand?
Rechnung: $4 \cdot 10 = 40$, $40 : 5 = 8$
Antwort: 8 Kinder halten einen Luftballon in der Hand.

B. Frage: Wie viele Lose hat Tante Ulla gekauft?
Rechnung: $2 \cdot 5 = 10$, $3 \cdot 10 = 30$
Antwort: Tante Ulla hat 30 Lose gekauft.

Perlenkette

Laura macht sich eine Perlenkette aus acht rosafarbenen, doppelt so viel blauen und halb so viel grünen Perlen.
Rechne aus. Zeichne die restlichen Perlen ein und male sie aus.

A. Laura nimmt _____ blaue Perlen.

Rechnung: ______________________________

B. Laura nimmt _____ grüne Perlen.

Rechnung: ______________________________

C. Insgesamt nimmt sie _____ Perlen.

Rechnung: ______________________________

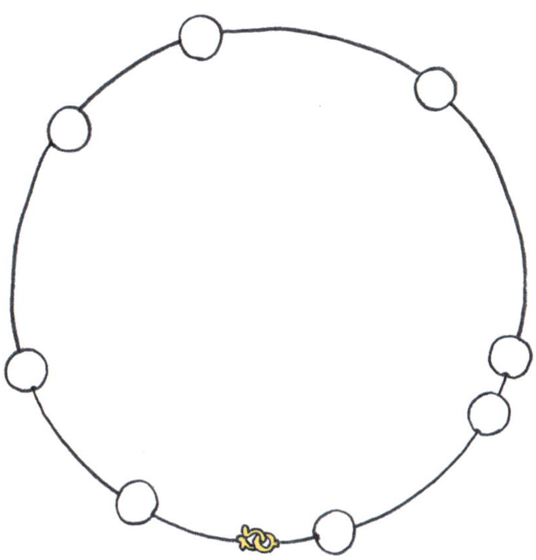

Lösung

A. Rechnung: $8 \cdot 2 = 16$.
Laura nimmt 16 blaue Perlen.

B. Rechnung: $8 : 2 = 4$
Laura nimmt 4 grüne Perlen.

C. Rechnung: $8 + 16 + 4 = 28$
Insgesamt nimmt sie 28 Perlen.

Computerspiele

Tom hat beim Computerspiel achtmal gewonnen.
Florian gewann doppelt so oft.

A. Tom hat ________ Mal gewonnen.

B. Florian hat ________ Mal gewonnen.

Rechnung: ____

C. Die Jungen haben insgesamt ________ Spiele gemacht.

Rechnung: ____

Lösung

A. Tom hat 8 Mal gewonnen.

B. Florian hat 16 Mal gewonnen.
Rechnung: $8 \cdot 2 = 16$

C. Die Jungen haben insgesamt 24 Spiele gemacht.
Rechnung: $8 + 16 = 24$

Löwen auf der Jagd

Vier Löwen sind auf Beutefang und jagen einen Büffel.

A. **Frage:** Wie viele Beine rennen dem Büffel hinterher?

Skizze

Rechnung: ______________________________

Antwort: ______________________________

B. Bei 36 Beinen wären es _____ Löwen.

Rechnung: ______________________________

Lösung

A. Rechnung: $4 \cdot 4$ Beine = 16 Beine
Antwort: Es rennen 16 Beine dem Büffel hinterher.

B. Bei 36 Beinen wären es 9 Löwen.
Rechnung: $36 : 4 = 9$

Ballspiele

Hole dir einen Ball und spiele diese Übung durch!

A. Prelle den Ball zweimal auf den Boden und wirf ihn dann sechsmal so oft in die Luft.

Rechnung: ______________________________

B. Fange ihn viermal mit nur einer Hand und prelle ihn dann sechsmal so oft von links nach rechts auf den Boden.

Rechnung: ______________________________

C. Prelle den Ball dreimal auf den Boden und wirf ihn dann sechsmal so oft in die Luft.

Rechnung: ______________________________

D. Fange ihn fünfmal mit nur einer Hand und prelle ihn dann sechsmal so oft von links nach rechts auf den Boden.

Rechnung: ______________________________

Lösung

A. Rechnung: $2 \cdot 6 = 12$
Du wirfst den Ball 12-mal in die Luft.

B. Rechnung: $4 \cdot 6 = 24$
Du prellst den Ball 24-mal auf den Boden.

C. Rechnung: $3 \cdot 6 = 18$
Du wirfst den Ball 18-mal in die Luft.

D. Rechnung: $5 \cdot 6 = 30$
Du prellst den Ball 30-mal auf den Boden.

Die 5er-Reihe

A. Kreise die Zahlen der 5er-Reihe ein.

42 15 99 25 28 20 50 30 71 12 64 35 40 5 10 83 36 45

B. Ordne die eingekreisten Zahlen den Aufgaben zu.

5 · 5 = ______	______ = 7 · 5
9 · 5 = ______	______ = 2 · 5
4 · 5 = ______	______ = 6 · 5
8 · 5 = ______	______ = 1 · 5
3 · 5 = ______	______ = 10 · 5

Die Zahlen der 5er-Reihe haben auf der Einerstelle eine 5 oder eine 0.

C. Trage hier die Ergebnisse von Aufgabe B ein.
Beginne links mit der kleinsten Zahl.

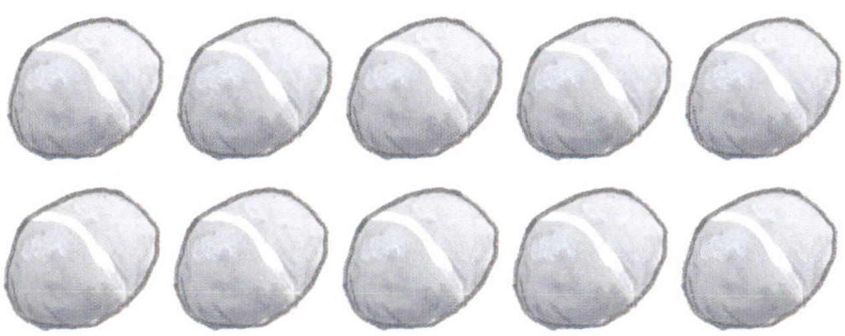

Lösung

A. 15, 50, 25, 30, 5, 10, 20, 35, 40, 45

B. (von oben nach unten):
25, 45, 20, 40, 15
35, 10, 30, 5, 50

C. 5, 10, 15, 20, 25, 30, 35, 40, 45, 50
(Das sind die Zahlen der 5er-Reihe.)

Die 5er-Reihe

A. Laura, Jan, Toni, Nina und Ali gestalten ein Plakat. Darauf druckt jeder von ihnen eine gefärbte Hand.

Frage: Wie viele Finger sind auf dem Plakat zu sehen?

Rechnung: ______________________________

Antwort: ______________________________

____

B. Beim Plakatwettbewerb haben die fünf Freunde 15 Gutscheine einer Eisdiele und 25 Luftballons gewonnen.

Frage 1: Wie viele Gutscheine bekommt jedes Kind?

Rechnung 1: ______________________________

Antwort 1: ______________________________

____

Frage 2: ______________________________

____

Rechnung 2: ______________________________

Antwort 2: ______________________________

____

Lösung

A. Rechnung: $5 \cdot 5 = 25$
Antwort: Auf dem Plakat sind 25 Finger zu sehen.

B. Rechnung 1: $15 : 5 = 3$
Antwort 1: Jedes Kind bekommt 3 Gutscheine.

Frage 2: Wie viele Luftballons bekommt jeder?
Rechnung 2: $25 : 5 = 5$
Antwort 2: Jedes Kind bekommt 5 Luftballons.

Geld wechseln

A. Kannst du die Münzen wechseln?

2 1 4 3 5

____ ____ ____ ____ ____

In der 10er-Reihe steckt auch die 5er-Reihe. Zwei Fünfer-Schritte sind ein Zehner-Schritt.

B. Wechsle auch diese Scheine.

4 6 2 8 10

____ ____ ____ ____ ____

C. Marie bekommt ein Paar Inline-Skater für 45 €. Mit welchen Scheinen kann ihr Vater bezahlen, ohne Wechselgeld zu erhalten? Er hat mehrere 20-€-, 10-€- und 5-€- Scheine in seinem Geldbeutel.

a. ___ € ___ € ___ €

b. ___ € ___ € ___ € ___ €

c. ___ € ___ € ___ € ___ € ___ €

d. ___ € ___ € ___ € ___ € ___ € ___ €

Lösung

A. 4, 2, 8, 6, 10

B. 2, 3, 1, 4, 5

C. **a.** 20 € + 20 € + 5 €
b. 20 € + 10 € + 10 € + 5 €
c. 10 € + 10 € + 10 € + 10 € + 5 €
d. 10 € + 10 € + 10 € + 5 € + 5 € + 5 €

Die 2er-Reihe

A. Rechne die Aufgaben aus.

$40 : 10 = \square$	$\square = 4 \cdot 5$
$1 \cdot 5 + 3 = \square$	$\square = 3 \cdot 5 - 1$
$2 \cdot 10 - 2 = \square$	$3 \cdot 2 = \square$
$\square = 10 : 5$	$8 \cdot 2 = \square$
$20 : 2 = \square$	$\square = 6 \cdot 2$

B Trage die Ergebnisse von Aufgabe A. in geordneter Reihe ein. Beginne links mit dem kleinsten.

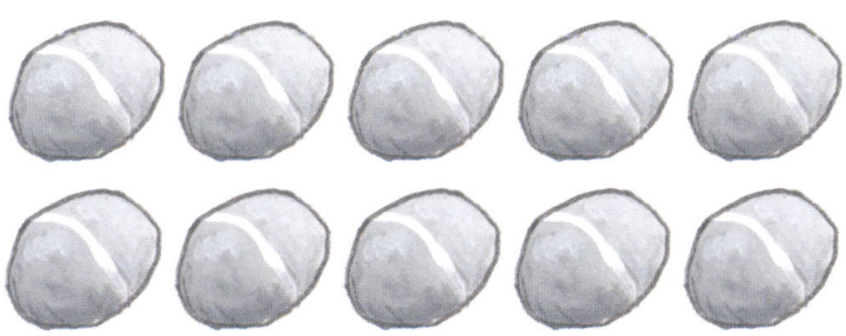

Die Zahlen der 2er-Reihe, auch über 20 hinaus, sind **gerade** Zahlen. Gerade Zahlen sind immer **durch 2 teilbar**.

Lösung

A. (von oben nach unten):
4, 8, 18, 2, 10
20, 14, 6, 16, 12

B. 2, 4, 6, 8, 10, 12, 14, 16, 18, 20
(Das sind die Zahlen der 2er-Reihe.)

Die 2er-Reihe

A. Kannst du diese Zahlen verdoppeln? ...

9	1	4	10	5	7	6	8

B. ... und diese Zahlen halbieren?

4	12	8	2	14	10	20	16

C. Karin darf in zwei Jahren (mit 18) den Führerschein machen.
Ihr Bruder Jan ist jetzt halb so alt wie sie.

Frage: Wie alt ist Jan?

Rechnung: ______________________________

____

Antwort: ______________________________

Verdoppeln bedeutet: mit 2 multiplizieren (malnehmen).
Halbieren bedeutet: durch 2 dividieren (teilen).

Lösung

A. 18, 2, 8, 20, 10, 14, 12, 16

B. 2, 6, 4, 1, 7, 5, 10, 8

C. Rechnung: 18 – 2 = 16, 16 : 2 = 8
Antwort: Jan ist 8 Jahre alt.

Tauschaufgaben

Schreibe zu jedem Bild zwei Multiplikationsaufgaben und löse sie.

A.

____

____

Weil du beim Multiplizieren (Malnehmen) die Zahlen auch vertauschen kannst, heißen diese Aufgaben „Tauschaufgaben".

B.

____

____

C.

____

____

Es kann für dich ein Vorteil sein, wenn du dich in einer der Reihen besser auskennst. Vielleicht fällt dir $8 \cdot 2$ schneller ein als $2 \cdot 8$.

Lösung

A. $8 \cdot 5 = 40$ oder $5 \cdot 8 = 40$

B. $8 \cdot 2 = 16$ oder $2 \cdot 8 = 16$

C. $6 \cdot 5 = 30$ oder $5 \cdot 6 = 30$

Malaufgaben ausdenken

Schreibe zu den Ergebniszahlen so viele Multiplikationsaufgaben (Malaufgaben) wie möglich. Denke auch an die Tauschaufgaben!

12

18

16

Die Ergebnisse von Zahlen, die mit sich selbst multipliziert werden, heißen Quadratzahlen.

Lösung

12 = 6 · 2 oder 2 · 6 oder 3 · 4 oder 4 · 3

18 = 9 · 2 oder 2 · 9 oder 3 · 6 oder 6 · 3

16 = 4 · 4 oder 8 · 2 oder 2 · 8

Die 4er-Reihe

A. Kreise nur die Zahlen ein, die in die 4er-Reihe gehören.

36 40 35 28 38 22 27 15 20 42 30 24 10

B. Schreibe nur die Rechnung und das Ergebnis auf.

Wie viele Beine haben ein Hund, eine Katze und ein Pferd zusammen?

____

Wie viele Beine haben Huhn und Hahn zusammen?

____

Alle Zahlen, die durch 4 teilbar sind, lassen sich auch durch 2 teilen. **Achtung!** Das gilt nicht umgekehrt!

C. Trage alle Ergebnisse der Aufgaben 1 und 2 als 4er-Reihe an der richtigen Stelle ein.

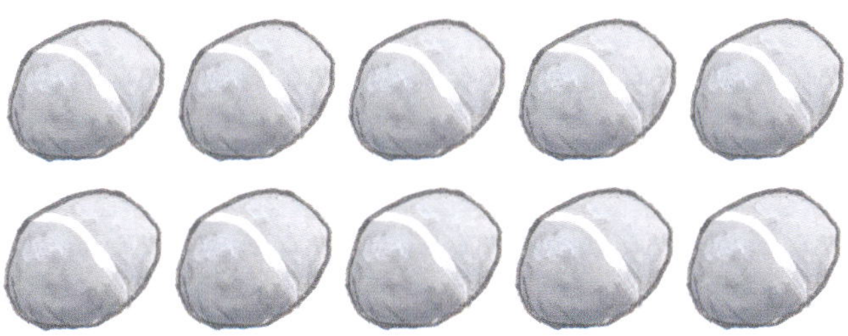

Welche Zahlen fehlen?

____

Lösung

A. 36, 40, 28, 20, 24

B. $3 \cdot 4 = 12$; $2 \cdot 2 = 4$

C. 4, –, 12, –, 20, 24, 28, –, 36, 40
Es fehlen die Zahlen 8, 16 und 32.

Kleines Einmaleins und Division

> Das Dividieren (Teilen) ist die Umkehrrechnung des Multiplizierens (Malnehmens).

A. Schreibe immer eine Rechenaufgabe und löse sie.

Verdopple 4:

____

Halbiere das Ergebnis:

____

Mache durch Multiplizieren (Malnehmen) aus zehn 30:

____

3 gleiche Teile aus 30:

____

B. Rechne zuerst die Divisionen (Geteiltaufgaben), und prüfe das Ergebnis mit der entsprechenden Multiplikation (Malaufgaben).

12 : 2 = ______, denn ______ · ______ = 12

45 : 5 = ______, denn ______ · ______ = 45

60 : 10 = ______, denn ______ · ______ = 60

16 : 4 = ______, denn ______ · ______ = 16

24 : 6 = ______, denn ______ · ______ = 24

Lösung

A. $2 \cdot 4 = 8$
$8 : 2 = 4$
$3 \cdot 10 = 30$
$30 : 3 = 10$

B. 6, denn $6 \cdot 2 = 12$
9, denn $9 \cdot 5 = 45$
6, denn $6 \cdot 10 = 60$
4, denn $4 \cdot 4 = 16$
4, denn $4 \cdot 6 = 24$

Kleines Einmaleins und Division

A. Finde für jede Muschel Multiplikationsaufgaben (Malaufgaben). Schreibe auch die Tausch- und Umkehraufgaben auf.

B. Fülle die Kästchen mit den richtigen Zahlen.

24 = ☐ · 4	24 : 4 = ☐
4 · 6 = ☐	24 : 6 = ☐
18 = ☐ · 4 + 2	18 – 2 = ☐ · 4
18 = ☐ · 2	18 : 2 = ☐
25 + 3 = ☐ · 4	25 = ☐ · 4 – 3
25 : 5 = ☐	5 · 5 = ☐

Lösung

A. **8** : 2 · 4 = 8 / 8 : 4 = 2; 4 · 2 = 8 / 8 : 2 = 4
28 : 4 · 7 = 28 / 28 : 7 = 4 / 7 · 4 = 28 / 28 : 4 = 7
32 : 8 · 4 = 32 / 32 : 4 = 8; 4 · 8 = 32 / 32 : 8 = 4

B. (von oben nach unten):
6, 24, 4, 9, 7, 5
6, 4, 4, 9, 7, 25

Die 8er-Reihe

A. Rechne die Aufgaben aus.

$10 \cdot 5 + 6 = \square$	$16 : 2 = \square$
$4 \cdot 10 + 2 \cdot 4 = \square$	$4 \cdot 5 - 4 = \square$
$8 + 8 + 8 + 8 + 8 = \square$	$8 \cdot 10 - 8 = \square$
$6 \cdot 10 + 4 = \square$	$4 \cdot 6 = \square$
$10 \cdot 6 + 4 \cdot 5 = \square$	$6 \cdot 5 + 2 = \square$

B. Trage die Ergebnisse von Aufgabe A. hier ein.
Beginne links mit der größten Zahl.

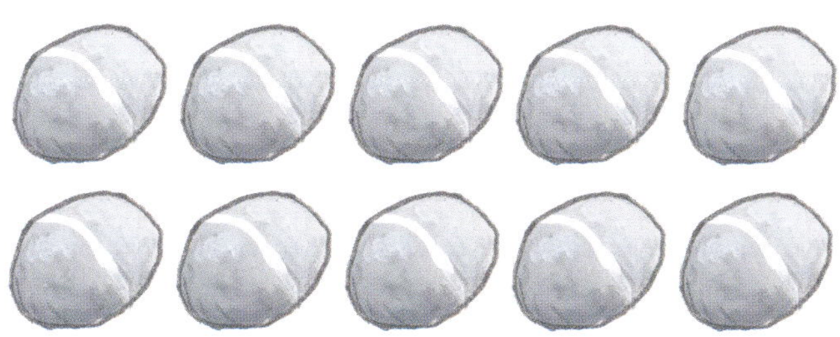

Alle Zahlen der 8er-Reihe sind auch durch 4 und durch 2 teilbar. **Achtung!** Das gilt nicht umgekehrt!

Lösung

A. (von oben nach unten):
56, 48, 40, 64, 80
8, 16, 72, 24, 32

B. 80, 72, 64, 56, 48, 40, 32, 24, 16, 8
(Das sind die Zahlen der 8er-Reihe.)

2er-, 4er- und 8er-Reihe

A. Welche Zahlen sind Einmaleins-Zahlen? Kreise sie ein, und trage sie in die Tabelle ein.

41

8 48 16

20 4

13

12 19 24 10

64

32 11 23

40 80

B. An welcher Stelle müssen die eingekreisten Zahlen stehen? Denke daran, dass sie in mehreren Reihen vorkommen können!

	· 1	· 2	· 3	· 4	· 5	· 6	· 7	· 8	·9	·10
2										
4										
8										

C. Keine Einmaleins-Zahlen sind:

____

Es gibt Zahlen, die man nur durch sich selbst oder durch 1 teilen kann. Sie heißen Primzahlen.

Lösung

A. Einmaleins-Zahlen sind 4, 8, 10, 12, 16, 20, 24, 32, 40, 48, 64, 80

B.

	· 1	· 2	· 3	· 4	· 5	· 6	· 7	· 8	·9	·10
2	–	4	–	8	10	12	–	16	–	20
4	4	8	12	16	20	24	–	32	–	40
8	8	16	24	32	40	48	–	64	–	80

C. Keine Einmaleins-Zahlen sind 11, 13, 19, 23, 41

Grillfest I

A. Die Klasse 3a (23 Kinder und die Lehrerin) plant ein Grillfest. Von 4 Kindern kommen Vater und Mutter mit. Leos Vater spendiert für jeden eine Wurst. Es sind immer 8 Würste in einer Packung.

Frage: Wie viele Packungen bringt Leos Vater mit?

Rechnung:

Antwort: ______________________________

B. Laras Mutter spendiert jedem Kind und der Lehrerin je eine Dose Limo. Eine Packung mit 8 Dosen kostet 2 Euro.

Frage 1: Wie viele Packungen kauft Laras Mutter?

Frage 2: Wie viele Euro bezahlt Laras Mutter?

Rechnung 1: ______________________________

Rechnung 2: ______________________________

Antwort 1: ______________________________

Antwort 2: ______________________________

Lösung

A. Rechnung: 23 + 1 = 24; 24 + 4 · 2 = 32; 32 : 8 = 4
Antwort: Leos Vater bringt 4 Packungen Würste mit.

B. Rechnung 1: 24 : 8 = 3
Rechnung 2: 3 · 2 € = 6 €
Antwort 1: Laras Mutter kauft 3 Packungen.
Antwort 2: Laras Mutter bezahlt 6 Euro.

Multiplikation

Rechne die Multiplikationsaufgaben. Male die Kästchen aus, die die Ergebnisse der Aufgaben enthalten. Welches Bild kannst du sehen?

3 · 6 = _____	2 · 8 = _____	9 · 5 = _____	7 · 8 = _____
7 · 4 = _____	6 · 5 = _____	8 · 3 = _____	3 · 7 = _____
10 · 2 = _____	4 · 3 = _____	9 · 7 = _____	8 · 4 = _____
7 · 6 = _____	8 · 5 = _____	10 · 9 = _____	7 · 7 = _____
8 · 10 = _____	9 · 9 = _____	7 · 2 = _____	5 · 5 = _____
3 · 5 = _____	8 · 8 = _____	4 · 9 = _____	2 · 5 = _____
8 · 6 = _____	9 · 3 = _____	7 · 5 = _____	
5 · 10 = _____	8 · 9 = _____	9 · 6 = _____	

Manche Ergebnisse kommen mehrfach vor. Male alle aus.

68	10	32	23	55	29	21	18	73
64	20	28	40	47	35	56	45	54
81	14	90	72	48	24	81	72	36
50	63	18	24	15	50	14	27	30
17	27	56	25	18	20	42	32	57
65	74	49	80	16	10	64	89	22
85	33	23	45	48	12	39	41	51
13	84	46	66	20	43	19	61	11

Lösung

3 · 6 = 18	2 · 8 = 16	9 · 5 = 45	7 · 8 = 56
7 · 4 = 28	6 · 5 = 30	8 · 3 = 24	3 · 7 = 21
10 · 2 = 20	4 · 3 = 12	9 · 7 = 63	8 · 4 = 32
7 · 6 = 42	8 · 5 = 40	10 · 9 = 90	7 · 7 = 49
8 · 10 = 80	9 · 9 = 81	7 · 2 = 14	5 · 5 = 25
3 · 5 = 15	8 · 8 = 64	4 · 9 = 36	2 · 5 = 10
8 · 6 = 48	9 · 3 = 27	7 · 5 = 35	
5 · 10 = 50	8 · 9 = 72	9 · 6 = 54	

Wenn du alle Kästchen ausgemalt hast, kannst du ein Herz sehen.

Bogenschießen

Bei einem Bogenschießwettbewerb dürfen die Teilnehmer nur bestimmte Luftballons abschießen. Sie müssen zuerst die Aufgaben auf der Tafel rechnen und dann die Ballons mit den Lösungen treffen. Welche Ballons müssen sie treffen? Zeichne die Pfeile ein.

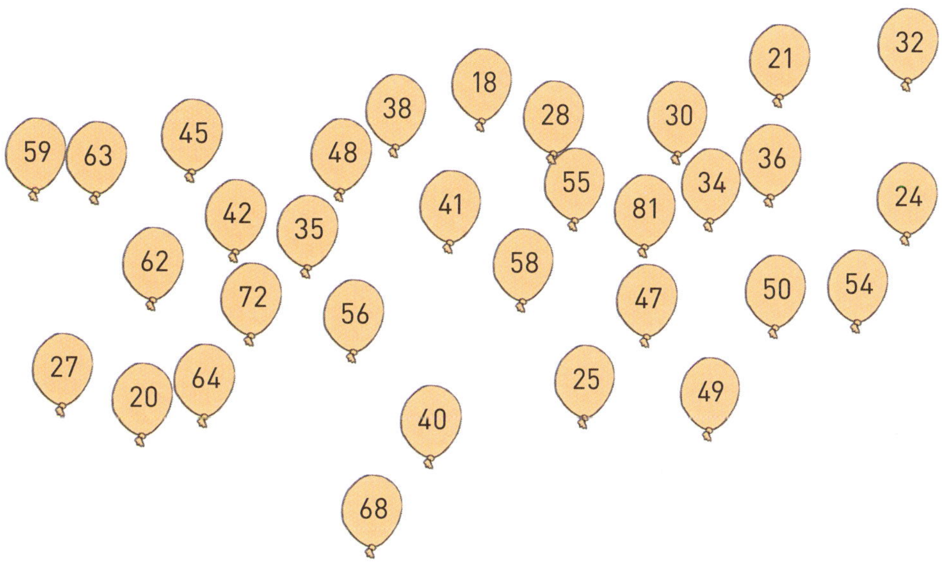

3 · 6 = ______	9 · 5 = ______	7 · 8 = ______	7 · 4 = ______
6 · 5 = ______	8 · 3 = ______	3 · 7 = ______	9 · 7 = ______
8 · 4 = ______	7 · 6 = ______	8 · 5 = ______	7 · 7 = ______
9 · 9 = ______	9 · 6 = ______	4 · 9 = ______	8 · 6 = ______
9 · 3 = ______	5 · 4 = ______	7 · 5 = ______	8 · 9 = ______

Lösung

$3 \cdot 6 = 18$	$9 \cdot 5 = 45$	$7 \cdot 8 = 56$	$7 \cdot 4 = 28$
$6 \cdot 5 = 30$	$8 \cdot 3 = 24$	$3 \cdot 7 = 21$	$9 \cdot 7 = 63$
$8 \cdot 4 = 32$	$7 \cdot 6 = 42$	$8 \cdot 5 = 40$	$7 \cdot 7 = 49$
$9 \cdot 9 = 81$	$9 \cdot 6 = 54$	$4 \cdot 9 = 36$	$8 \cdot 6 = 48$
$9 \cdot 3 = 27$	$5 \cdot 4 = 20$	$7 \cdot 5 = 35$	$8 \cdot 9 = 72$

Multiplikation mit Vielfachen von 10

Rechne große Aufgaben im Kopf. Denke immer an eine passende kleine Einmaleinsaufgabe.

Multipliziere. Verbinde die Dominosteine in der richtigen Reihenfolge.

Beispiel: 3 · 40 Denke an 3 · 4 = 12 3 · 40 = 120

180	80 · 7
360	7 · 40
400	6 · 60
540	70 · 5
320	6 · 70
280	ZIEL
START	4 · 50
420	8 · 50
200	6 · 30
560	9 · 60
350	4 · 80

Merke dir: multiplizieren bedeutet malnehmen.

Lösung

START | 4 · 50	200 | 6 · 30	180 | 80 · 7	560 | 9 · 60
540 | 70 · 5		320 | 6 · 70	420 | 8 · 50
400 | 6 · 60	360 | 7 · 40	280 | ZIEL	

Division

Die Sättel auf dem Sonnenhof sollen in zwei Sattelkammern aufgeräumt werden. In die Sattelkammer **A** sollen alle Sättel, deren Divisionsaufgaben ein Ergebnis ohne Rest haben. In die Sattelkammer **B** kommen alle Sättel, deren Divisionsaufgaben ein Ergebnis mit Rest haben. Wohin kommt welcher Sattel? Rechne aus und zeichne Pfeile ein.

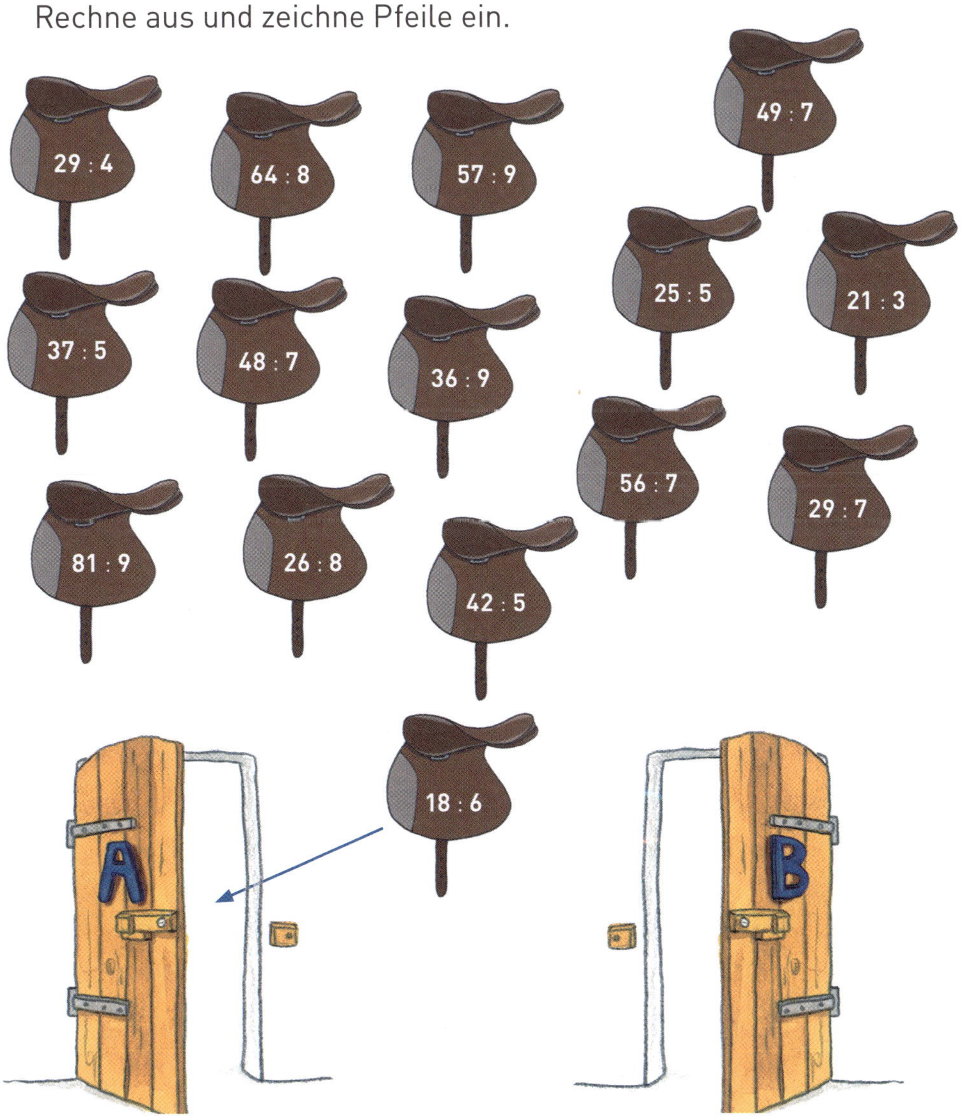

Lösung

Sattelkammer **A**:

18 : 6 = 3	64 : 8 = 8	49 : 7 = 7
36 : 9 = 4	25 : 5 = 5	21 : 3 = 7
81 : 9 = 9	56 : 7 = 8	

Sattelkammer **B**:

29 : 4 = 7 R 1	57 : 9 = 6 R 3	37 : 5 = 7 R 2
48 : 7 = 6 R 6	26 : 8 = 3 R 2	42 : 5 = 8 R 2
29 : 7 = 4 R 1		

Grillfest II

Jetzt ist noch die Fahrt zum Grillfest der Klasse 3a (siehe voriges Blatt) zu regeln. Im Bus fährt jeweils eine Gruppe von 4 Personen mit einem Fahrschein. Jeder zahlt 2 Euro.

A. **Frage:** Wie viel kostet ein Fahrschein?

Rechnung: ______________________________

Antwort: ______________________________

____

B. **Frage:** Wie viele Fahrscheine werden benötigt?

Rechnung: ______________________________

Antwort: ______________________________

____

C. **Frage:** Wie hoch sind die Fahrtkosten insgesamt?

Rechnung: ______________________________

Antwort: ______________________________

____

Lösung

A. Rechnung: $4 \cdot 2\ € = 8\ €$
Antwort: Ein Fahrschein kostet 8 Euro.

B. Rechnung: $32 : 4 = 8$
Antwort: Es werden 8 Fahrscheine benötigt.

C. Rechnung: $8 \cdot 8\ € = 64\ €$
Antwort: Die Fahrtkosten betragen 64 Euro.

Lücken füllen

A. Setze die fehlenden Zahlen ein.

$3 \cdot \square + 7 = 31$

$3 \cdot \square - 7 = 17$

$6 \cdot 8 + \square = 52$

$6 \cdot 8 - \square = 44$

$8 = 64 : \square$

$40 : \square = 5$

$3 = \square : 8$

$2 = 16 : \square$

$75 = \square \cdot 8 +$

$75 = \square \cdot 8 -$

$56 = \square \cdot 8 +$

$56 = \square \cdot 8 -$

B. Setze die fehlenden Rechenzeichen +, −, ·, : oder = so zwischen die Zahlen, dass richtige Aufgaben entstehen.

$6 \; \square \; 8 \; \square \; 48$

$48 \; \square \; 8 \; \square \; 6$

$13 \; \square \; 7 \; \square \; 20$

$76 \; \square \; 7 \; \square \; 69$

$24 \; \square \; 4 \; \square \; 6$

$5 \; \square \; 5 \; \square \; 25$

$55 \; \square \; 9 \; \square \; 46$

$43 \; \square \; 9 \; \square \; 52$

Lösung

A. $3 \cdot 8 + 7 = 31$
$3 \cdot 8 - 7 = 17$
$6 \cdot 8 + 4 = 52$
$6 \cdot 8 - 4 = 44$
$8 = 64 : 8$
$40 : 8 = 5$
$3 = 24 : 8$
$2 = 16 : 8$

$75 = 9 \cdot 8 + 3$
$75 = 10 \cdot 8 - 5$
$56 = 7 \cdot 8 + 0$
$56 = 7 \cdot 8 - 0$

B. $6 \cdot 8 = 48$
$48 : 8 = 6$ oder $48 = 8 \cdot 6$
$13 + 7 = 20$
$76 - 7 = 69$ oder $76 = 7 + 69$
$24 : 4 = 6$ oder $24 = 4 \cdot 6$
$5 \cdot 5 = 25$
$55 - 9 = 46$ oder $55 = 9 + 46$;
$43 + 9 = 52$

Die 3er-Reihe

A. Ergänze die Zahlen am Zahlenstrahl.

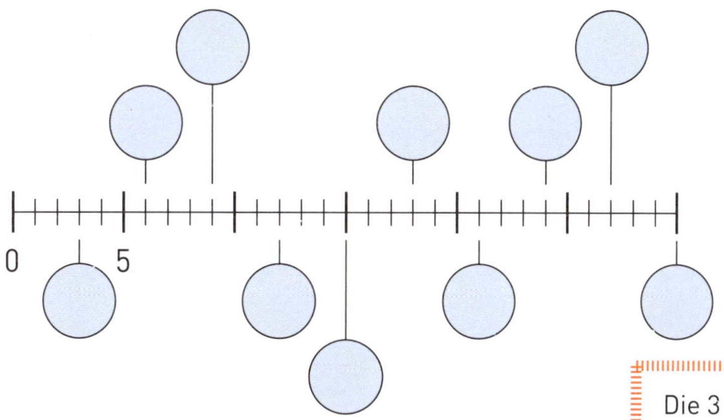

Die 3 ist eine ungerade Zahl, weil du sie nicht durch 2 teilen (halbieren) kannst.

B. Diese Zahlen der 3er-Reihe gibt es auch ...

... in der 2er-Reihe (bis 20) ______________________

... in der 4er-Reihe ______________________

... in der 5er-Reihe ______________________

... in der 10er-Reihe ______________________

C. Verbinde alle Aufgaben mit gleichem Ergebnis.

15 : 3	4 · 3	2 · 10 + 1	5 · 3
6 · 3	20 : 4	3 · 6 – 3	6 · 5
3 · 4	9 · 2	10 · 3	7 · 3

Lösung

A. 3, 6, 9, 12, 15, 18, 21, 24, 27, 30
(Das sind die Zahlen der 3er-Reihe.)

B. In der 2er-Reihe: 6, 12, 18
In der 4er-Reihe: 12, 24
In der 5er-Reihe: 15, 30
In der 10er-Reihe: 30

C. links: $15 : 3 = 20 : 4$; $4 \cdot 3 = 3 \cdot 4$; $6 \cdot 3 = 9 \cdot 2$;
rechts: $2 \cdot 10 + 1 = 7 \cdot 3$; $3 \cdot 6 - 3 = 5 \cdot 3$; $10 \cdot 3 = 6 \cdot 5$

Ausflug in den Zoo

In der Klasse 4b sind 25 Kinder. Sie machen einen Ausflug in den Zoo. Ihr Lehrer teilt sie in kleine Gruppen.

A. **Frage:** Wie viele Gruppen gibt es, wenn immer 3 Kinder zusammenbleiben sollen?

Rechnung: ______________________ Rest: ______________

Antwort: ____

____

B. **Frage:** Wie viele Gruppen gibt es, wenn

a. ... 4 Kinder zusammen sind?

Rechnung: ______________________ Rest: ______________

Antwort: ____

____

b. ... 5 Kinder zusammenbleiben?

Rechnung: ______________________ Rest: ______________

Antwort: ____

____

Lösung

A. Rechnung: 25 : 3 = 8 Rest 1
Antwort: Es werden 8 Gruppen gebildet. Ein Kind bleibt übrig.

A. a. Rechnung: 25 : 4 = 6 Rest 1
Antwort: Es gibt 6 Gruppen. Ein Kind bleibt übrig.

b. Rechnung: 25 : 5 = 5 Rest 0
Antwort: Es sind 5 Gruppen. Kein Kind bleibt übrig.

Zerlegen und teilen

A. Zerlege die Zahlen mit der 3er-Reihe. Rechne mit ·, + und –.

17 =		·	3	+		29 =		·	3	–	
22 =						25 =					
11 =						26 =					
4 =						14 =					
13 =						4 =					

B. Teile mit Rest wie im Beispiel.

28 : 3 =	9	+	1	:	3	5 : 3 =					
17 : 3 =		+		:		26 : 3 =					
41 : 5 =						52 : 10 =					
71 : 8 =						35 : 4 =					
11 : 3 =						19 : 3 =					

Lösung

A. $17 = 5 \cdot 3 + 2$
$22 = 7 \cdot 3 + 1$
$11 = 3 \cdot 3 + 2$
$4 = 1 \cdot 3 + 1$
$13 = 4 \cdot 3 + 1$
$29 = 10 \cdot 3 - 1$
$25 = 9 \cdot 3 - 2$
$26 = 9 \cdot 3 - 1$
$14 = 5 \cdot 3 - 1$
$4 = 2 \cdot 3 - 2$

B. $5 + 2 : 3$
$8 + 1 : 5$
$8 + 7 : 8$
$3 + 2 : 3$
$1 + 2 : 3$
$8 + 2 : 3$
$5 + 2 : 10$
$8 + 3 : 4$
$6 + 1 : 3$

Die 6er-Reihe

A. Findest du alle Zahlen der 6er-Reihe? Kreise sie ein.

64 60 26 54 45 12
19 24 36 13 30 42 63
6 9 18 48 32

B. Trage die 6er-Reihe hier ein. Beginne links mit der 6.

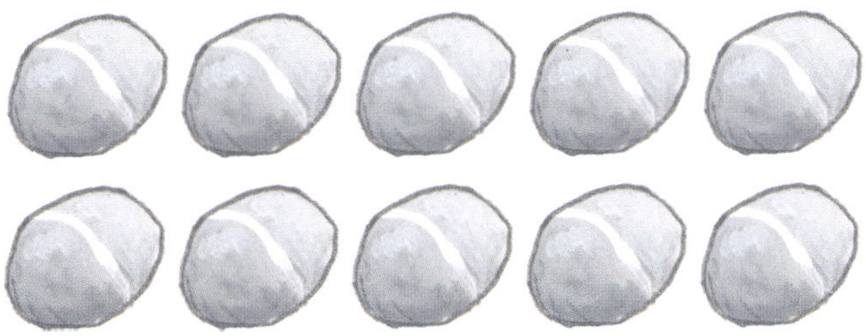

C. Zerlege die übriggebliebenen Zahlen aus Aufgabe A. mit der 6er-Reihe. Benutze die Rechenzeichen · und +.

____________________ ____________________

____________________ ____________________

____________________ ____________________

____________________ ____________________

Alle Zahlen der 6er-Reihe sind auch durch 3 teilbar. **Achtung!** Das gilt nicht umgekehrt.

Lösung

A. 60, 54, 12, 24, 36, 30, 42, 6, 18, 48

B. 6, 12, 18, 24, 30, 36, 42, 48, 54, 60
(Das sind die Zahlen der 6er-Reihe.)

C. $64 = 10 \cdot 6 + 4$
$26 = 4 \cdot 6 + 2$
$45 = 7 \cdot 6 + 3$
$19 = 3 \cdot 6 + 1$
$13 = 2 \cdot 6 + 1$
$63 = 10 \cdot 6 + 3$
$9 = 1 \cdot 6 + 3$
$32 = 5 \cdot 6 + 2$

Würfelspiel

Isabel und Thilo würfeln um das Ziel eines Familienausflugs. Jeder hat 5 Würfe mit 3 Würfeln. Wer die meisten Punkte erreicht, dessen Wunschziel wird angesteuert.

	Isabel			Thilo		
1. Wurf:	3	5	6	3	4	5
2. Wurf:	2	2	4	2	3	6
3. Wurf:	1	4	6	3	4	6
4. Wurf:	2	4	5	1	3	3
5. Wurf:	1	3	4	2	4	5

Frage: ______________________________

____

Rechnung für Isabel

_______ · 1 = _______

_______ · 2 = _______

_______ · 3 = _______

_______ · 4 = _______

_______ · 5 = _______

_______ · 6 = _______

Isabel hat ☐ Punkte.

Rechnung für Thilo

_______ · 1 = _______

_______ · 2 = _______

_______ · 3 = _______

_______ · 4 = _______

_______ · 5 = _______

_______ · 6 = _______

Thilo hat ☐ Punkte.

Antwort: ______________________________

____

Lösung

Frage: Wer darf das Ausflugsziel wählen?

Isabel:

$2 \cdot 1 = 2$
$3 \cdot 2 = 6$
$2 \cdot 3 = 6$
$4 \cdot 4 = 16$
$2 \cdot 5 = 10$
$2 \cdot 6 = 12$
$2 + 6 + 6 + 16 + 10 + 12 = 52$

Thilo:

$1 \cdot 1 = 1$
$2 \cdot 2 = 4$
$5 \cdot 3 = 15$
$3 \cdot 4 = 12$
$2 \cdot 5 = 10$
$2 \cdot 6 = 12$;
$1 + 4 + 15 + 12 + 10 + 12 = 54$

Antwort: Thilo darf das Ausflugsziel wählen.

Die 9er-Reihe

A. Setze diese Aufgabenreihe fort.

1 · 9 = 1 · 10 – 1

2 · 9 = 2 · 10 – ________

3 · 9 = ______________

____

____

____

____

____

____

____

Die Ergebnisse der 9er-Reihe haben etwas ganz Besonderes: Ihre **Quersumme** ist immer 9.

Die Quersumme ergibt sich aus den Ziffern einer Zahl.
Beispiel: 18: 1 + 8 = 9
27: 2 + 7 = 9

B. Trage die 9er-Reihe ein. Beginne links.

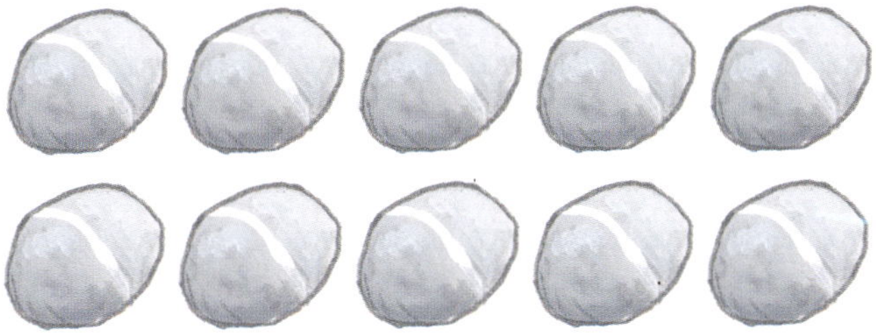

Lösung

A. $2 \cdot 9 = 2 \cdot 10 - 2$
$3 \cdot 9 = 3 \cdot 10 - 3$
$4 \cdot 9 = 4 \cdot 10 - 4$
$5 \cdot 9 = 5 \cdot 10 - 5$
$6 \cdot 9 = 6 \cdot 10 - 6$
$7 \cdot 9 = 7 \cdot 10 - 7$
$8 \cdot 9 = 8 \cdot 10 - 8$
$9 \cdot 9 = 9 \cdot 10 - 9$
$10 \cdot 9 = 10 \cdot 10 - 10$

B. 9, 18, 27, 36, 45, 54, 63, 72, 81, 90
(Das sind die Zahlen der 9er-Reihe.)

Die 9er-Reihe

A. Rechne in der Tabelle.

·	3	6	9	4	8	2	10
3							
6							
9							

B. Welche Zahlen der 9er-Reihe bis 30 gehören auch zur 3er-Reihe?

____

C. Welche Zahlen der 9er-Reihe bis 60 gehören auch zur 6er-Reihe?

____

Die Zahlen der 9er-Reihe sind auch durch 3 teilbar.
Achtung! Das gilt nicht umgekehrt.

Lösung

A.

·	3	6	9	4	8	2	10
3	9	18	27	12	24	6	30
6	18	36	54	24	48	12	60
9	27	54	81	36	72	18	90

B. 9, 18, 27

C. 18, 36, 54

Nachbarzahlen

A. Schreibe die Nachbarzahlen auf. Benutze die 3er-, 6er- und 9er-Reihe.

48	54	60	45	54	63	0	3	6
	63			6			6	
	81			48			45	
	12			12			72	
	9			9			27	
	27			36			36	

B. Zerlege mit der 9er-Reihe. Rechne mit ·, + und –.

26 =		·		–			87 =		·		+		
10 =		·		+			15 =		·		–		
54 =		·		+			73 =		·		+		
35 =		·		–			63 =		·		–		

Lösung

A. 54, 63, 72
72, 81, 90
9, 12, 15 oder 6, 12, 18
6, 9, 12 oder 0, 9, 18
24, 27, 30 oder 18, 27, 36

3, 6, 9 oder 0, 6, 12
42, 48, 54
6, 12, 18 oder 9, 12, 15
0, 9, 18 oder 6, 9, 12
30, 36, 42 oder 27, 36, 45

0, 6, 12 oder 3, 6, 9
36, 45, 54
63, 72, 81
8, 27, 36 oder 24, 27, 30
27, 36, 45 oder 32, 36, 40

B.

26 = 3 · 9 − 1	87 = 9 · 9 + 6
10 = 1 · 9 + 1	15 = 2 · 9 − 3
54 = 6 · 9 + 0	73 = 8 · 9 + 1
35 = 4 · 9 − 1	63 = 7 · 9 − 0

Geburtstagsparty

A. Tim hat zum Geburtstag 8 Kinder eingeladen. Jedes Kind soll 2 Schokolutscher bekommen. In einer Packung sind 6 Stück.

Frage: ______________________________

____

Rechnung: ______________________________

____

Antwort: ______________________________

B. Tim und seine 8 Gäste machen ein Suchspiel im Park. Jeder von ihnen findet dort 6 kleine Überraschungen, die Tims Mutter versteckt hat.

Frage: ______________________________

____

Rechnung: ______________________________

____

Antwort: ______________________________

Lösung

A. Frage: Wie viele Packungen braucht er?
Rechnung: 1 (Tim) + 8 = 9; 9 · 2 = 18; 18 : 6 = 3
Antwort: Tim braucht 3 Packungen.

B. Frage: Wie viele Überraschungen hat Tims Mutter versteckt?
Rechnung: 9 · 6 = 54
Antwort: Tims Mutter hat 54 Überraschungen versteckt.

Umkehraufgaben

A. Verbinde alle Aufgaben, die das gleiche Ergebnis haben.

3 · 9	4 · 9	6 · 9	2 · 9
9 · 4	9 · 3	3 · 6	9 · 6
2 · 3	5 · 9	8 · 3	3 · 3
9 · 5	1 · 6	1 · 9	4 · 6

B. Teile und mache die Probe mit der Umkehraufgabe.

54 : 9 = _____, denn _____ · 9 = _____

27 : 9 = _____, denn _____ · 9 = _____

18 : 9 = _____, denn _____ · 9 = _____

81 : 9 = _____, denn _____ · 9 = _____

36 : 9 = _____, denn _____ · 9 = _____

72 : 9 = _____, denn _____ · 9 = _____

Lösung

A. links:

$3 \cdot 9 = 9 \cdot 3$
$9 \cdot 4 = 4 \cdot 9$
$2 \cdot 3 = 1 \cdot 6$
$9 \cdot 5 = 5 \cdot 9$

rechts:

$6 \cdot 9 = 9 \cdot 6$
$3 \cdot 6 = 2 \cdot 9$
$8 \cdot 3 = 4 \cdot 6$
$1 \cdot 9 = 3 \cdot 3$

B. 6, denn $6 \cdot 9 = 54$
3, denn $3 \cdot 9 = 27$
2, denn $2 \cdot 9 = 18$
9, denn $9 \cdot 9 = 81$
4, denn $4 \cdot 9 = 36$
8, denn $8 \cdot 9 = 72$

Die 7er-Reihe

A. Finde die Ergebnisse.

3 · 7 = ____	49 : 7 = ____	7 · 7 = ____
4 · 7 = ____	8 · 7 = ____	10 · 7 = ____
6 · 7 = ____	2 · 7 = ____	5 · 7 = ____

Alle Ergebnisse der 7er-Reihe kannst du als Tauschaufgabe aus den übrigen Einmaleins-Reihen ableiten!

B. Trage die Ergebnisse von Aufgabe A. als 7er-Reihe ein. Beginne links mit der kleinsten Zahl.

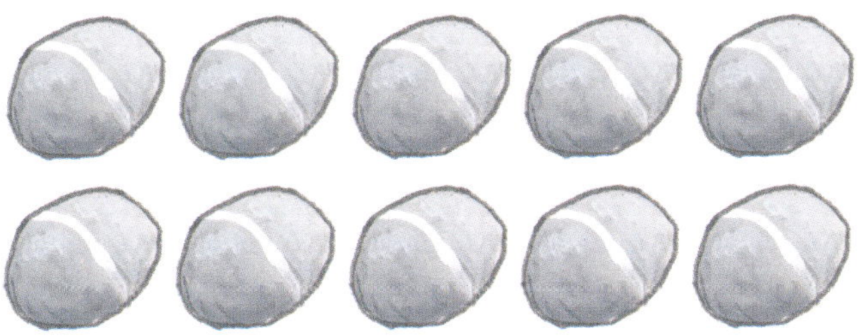

Welche Zahl fehlt? ____

C. Schreibe zu jeder Aufgabe die Umkehraufgabe und die Tauschaufgabe. Rechne aus.

5 · 7 = ☐	9 · 7 = ☐
7 · 5 = ☐	☐ ☐ ☐ = ☐
☐ : 7 = ☐	☐ ☐ ☐ = ☐
☐ : ☐ = ☐	☐ ☐ ☐ = ☐

Lösung

A. (von oben nach unten):
21, 28, 42
7, 56, 14
49, 70, 35

B. 7, 14, 21, 28, 35, 42, 49, 56, -- , 70
Die 63 fehlt.

C. $5 \cdot 7 = 35$
$7 \cdot 5 = 35$
$35 : 7 = 5$
$35 : 5 = 7$

$9 \cdot 7 = 63$
$7 \cdot 9 = 63$
$63 : 7 = 9$
$63 : 9 = 7$

Ferienpost

A. Rechne jetzt Tage in Wochen um.

Tage	35	70	28	63	56	49
Wochen						

B. Paula verbringt im Sommer 42 Ferientage bei ihrem Onkel auf dem Bauernhof. In jeder zweiten Woche schreibt sie ihren Eltern eine Karte.

Frage: Wie viele Karten schreibt Paula ihren Eltern?

Rechnung: ______________________________

____

____

Antwort: ______________________________

____

Lösung

A.

Tage	35	70	28	63	56	49
Wochen	5	10	4	9	8	7

B. Rechnung: $42 : 7 = 6$, $6 : 2 = 3$
Antwort: Paula schreibt 3 Karten.

Die 7er-Reihe

A. Kreise die Zahlen ein, die nicht zur 7er-Reihe gehören.

19 54 21 33 14 9 45 28 64 35 63 49

B. Zerlege die Zahlen, die du in Aufgabe A. eingekreist hast, mit der 7er-Reihe und dem Rest.

☐ = ☐ · 7 + ☐ ☐ ☐ ☐ ☐

☐ ☐ ☐ ☐ ☐ ☐ ☐ ☐

☐ ☐ ☐ ☐ ☐ ☐ ☐ ☐

C. Setze die fehlenden Zahlen ein.

☐ = 56 : 7	35 = ☐ · 7
4 = ☐ : 7	☐ = 6 · 7
☐ = 49 : 7	☐ = 9 · 7

Lösung

A. 19, 54, 33, 9, 64, 45

B. $19 = 2 \cdot 7 + 5$
$54 = 7 \cdot 7 + 5$
$33 = 4 \cdot 7 + 5$
$9 = 1 \cdot 7 + 2$
$64 = 9 \cdot 7 + 1$
$45 = 6 \cdot 7 + 3$

C. (von oben nach unten):
8, 28, 7
5, 42, 63

Division

A. Nils teilt 28 Bonbons auf seine drei Freunde und sich auf. Wie viele Bonbons bekommt jeder?

Rechnung:

Antwort: ______________________________

B. Sandra und ihre drei Geschwister müssen 40 € gerecht unter sich aufteilen. Wie viel bekommt jeder?

Rechnung:

Antwort: ______________________________

Lösung

A. Rechnung: 28 Bonbons : 4 = 7 Bonbons
Antwort: Jeder bekommt 7 Bonbons.

B. Rechnung: 40 € : 4 = 10 €
Antwort: Jedes Geschwisterteil bekommt 10 €.